N°2

# SUDOCROISÉS

Frédérique Tiéfry

éditions BRAVO!

Cet ouvrage est basé sur le livre *Boggle – CrossDoKu* paru chez Sterling Publishing Co., Inc.



Publié par les Éditions Bravo!, une division de
LES PUBLICATIONS MODUS VIVENDI INC.
55, rue Jean-Talon Ouest, 2e étage
Montréal (Québec) H2R 2W8
Canada

www.editionsbravo.com

Directeur éditorial : Marc Alain
Conception des jeux : Frédérique Tiéfry

ISBN 978-2-92372-082-1

Dépôt légal – Bibliothèque et Archives nationales du Québec, 2010
Dépôt légal – Bibliothèque et Archives Canada, 2010



Imprimé au Canada

# Table des matières


Mot de l'auteure ............................5

Brève introduction..........................6

Trucs de base ...............................8

Sudocroisés

Débutant ................................14

Intermédiaire ..........................38

Difficile ..................................60

Expert ....................................74

Célébrités ..............................82

Géographie ............................90

Prénoms ..............................102

Solutions ................................114

# Chers amateurs de jeux...

Soyez les bienvenus dans le monde des sudocroisés Boggle.

Les sudocroisés résultent en quelque sorte de la rencontre entre les grilles de mots croisés et les sudokus. Ils sauront donc plaire à la fois aux amoureux des mots et aux fanas de logique. De plus, les sudocroisés vous feront faire cet exercice mental dont on vante tant les mérites depuis quelques années.

Grâce au format pratique de ce recueil, vous pourrez vous adonner à ces jeux où et quand bon vous semblera. Je suis sûre que vous y deviendrez bien vite accros et que vous aurez autant de plaisir à les résoudre que j'en ai eu à les créer.

Je vous invite sans plus tarder à consulter les instructions et à vous initier aux sudocroisés. Bonne gymnastique cérébrale !

Frédérique Tiéfry

# Brève introduction

Les sudocroisés Boggle sont des grilles comportant cinq mots qui se lisent aussi bien à l'horizontale qu'à la verticale.

| | | | | |
|---|---|---|---|---|
| M | U | L | O | N |
| U | R | U | B | U |
| L | U | G | E | R |
| O | B | E | I | S |
| N | U | R | S | E |

Le point de départ du jeu est une grille dont seule la diagonale contient des lettres.

| | | | | |
|---|---|---|---|---|
| M | | | | |
| | R | | | |
| | | G | | |
| | | | I | |
| | | | | E |

Les dix lettres qui doivent remplir les cases vierges sont sous la grille. Chacune d'elles doit se retrouver au-dessus et au-dessous de la diagonale.

B E L N O R S U U U

Quelles sont les lettres possibles dans telle ou telle case ?

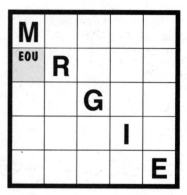

ER___? Aucun mot possible.
ORNES? Que faire au rang 3 ?
URNES? Que faire au rang 3 ?
URUBU! Ça y est !

B E L N O R S U U U

| | | | | |
|---|---|---|---|---|
| M | | | | |
| EOU | R | | | |
| | | G | | |
| | | | I | |
| | | | | E |

Nous pouvons donc inscrire le mot URUBU et éliminer les lettres qui le forment.

N'oublions pas que le mot se répète à la verticale.

~~B~~ E L N O R S ~~U~~ ~~U~~ ~~U~~

| | | | | |
|---|---|---|---|---|
| M | U | | | |
| U | R | U | B | U |
| | U | G | | |
| | B | | I | |
| | U | | | E |

Les mots sont en grande majorité courants (noms communs, adjectifs, verbes) et figurent dans le dictionnaire. Les grilles ne comportent pas de mots étrangers non recensés dans les dictionnaires de langue française ni, sauf avis contraire en bas de page, de noms propres.

Voilà !

# Trucs de base

Voyons comment résoudre une grille du début à la fin.

| | | | | |
|---|---|---|---|---|
| T | | | | |
| | B | | | |
| | | U | | |
| | | | D | |
| | | | | R |

A E E E I O R S T T

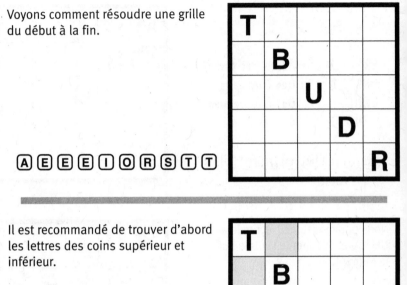

Il est recommandé de trouver d'abord les lettres des coins supérieur et inférieur.

Quelle lettre peut aller après le D et avant le R ?

| | | | | |
|---|---|---|---|---|
| T | | | | |
| | B | | | |
| | | U | | |
| | | | D | |
| | | | | R |

A E E E I O R S T T

Probablement un E, ou bien un A ou un I. Essayons avec un E, plus probable ici.

Ensuite, quelle lettre peut aller après le T et avant le B ?

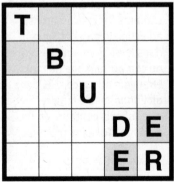

| | | | | |
|---|---|---|---|---|
| T | | | | |
| | B | | | |
| | | U | | |
| | | | D | E |
| | | | E | R |

A ~~E~~ E E I O R S T T

Il est évident, vu le B, qu'une voyelle s'impose : A, E, I ou O.

Quel mot peut-on former avec une voyelle suivie du B ?

| | | | | |
|---|---|---|---|---|
| T | AEIO | | | |
| AEIO | B | | | |
| | | U | | |
| | | | D | E |
| | | | E | R |

A ~~E~~ E E I O R S T T

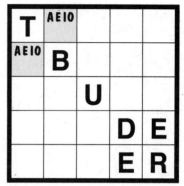

Peu de mots viennent à l'esprit : OBÈSE, ABOIS… Essayons OBÈSE.

Hum, au rang 3, ça va mal, il n'y a pas de mot possible débutant par REU, SEU ou TEU avec les lettres à caser.

| | | | | |
|---|---|---|---|---|
| T | O | | | |
| O | B | E | S | E |
| | E | U | | |
| | S | | D | E |
| | E | | E | R |

A ~~E~~ ~~E~~ ~~E~~ I ~~O~~ R ~~S~~ T T

Alors essayons ABOIS.
Ça va maintenant pour le rang 3.

Voyons le rang 4 : _I_DE.

Quel mot faire avec les lettres encore disponibles ?

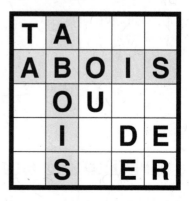

| | | | | |
|---|---|---|---|---|
| T | A | | | |
| A | B | O | I | S |
| | O | U | | |
| | I | | D | E |
| | S | | E | R |

~~A~~ ~~E~~ E E ~~I~~ ~~O~~ R ~~S~~ T T

Le seul qui vienne à l'esprit
est TIÈDE.

Passons maintenant au rang 5 :
_S_ER.

Quel mot peut-on former ici ?

A E E E I O R S T T

| | | | | |
|---|---|---|---|---|
| T | A | | T | |
| A | B | O | I | S |
| | O | U | E | |
| T | I | E | D | E |
| | S | | E | R |

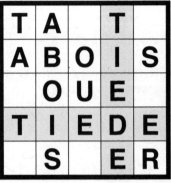

On dirait bien qu'ESTER s'impose.

Il ne reste qu'une seule lettre
à caser...

A E E E I O R S T T

| | | | | |
|---|---|---|---|---|
| T | A | | T | E |
| A | B | O | I | S |
| | O | U | E | T |
| T | I | E | D | E |
| E | S | T | E | R |

Le R fait TARTE et ROUET...
et ça y est !

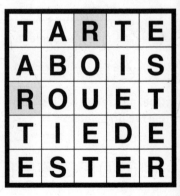

A E E E I O R S T T

| | | | | |
|---|---|---|---|---|
| T | A | R | T | E |
| A | B | O | I | S |
| R | O | U | E | T |
| T | I | E | D | E |
| E | S | T | E | R |

# D’autres trucs

Un autre truc consiste à s’attarder aux lettres moins courantes (K, Y, H, J...) et à chercher où elles peuvent aller.

Ici, où le W peut-il bien aller?

A A A G I N O O S W

| | | | | |
|---|---|---|---|---|
| B | | | | |
| | M | | | |
| | | G | | |
| | | | R | |
| | | | | R |

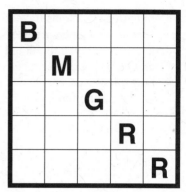

Dans les coins supérieur et inférieur? Manifestement pas. Avant ou après le M, le G ou le premier R?

Non plus. Un mot qui finit par W? Pas avec les lettres disponibles, donc on élimine aussi le rang 5.

A A A G I N O O S W

| | | | | |
|---|---|---|---|---|
| B | W | | | |
| W | M | | | |
| | | G | | |
| | | | R | W |
| | | | W | R |

En y regardant de plus près, seules 3 cases peuvent contenir le W. Si on le met dans le rang 1, on ne peut faire que BIWAS. Alors voyons, pour le rang 3, les mots commençant par W avec un G au centre. WAGON est notre mot.

Essayez maintenant de terminer le jeu. La solution se trouve en page 13.

A A A G I N O O S W

| | | | | |
|---|---|---|---|---|
| B | | W | W | |
| | M | | W | |
| W | | G | | |
| W | W | | R | |
| | | | | R |

Dernier truc : au moins un mot doit commencer par une voyelle et au moins un mot doit finir par une voyelle. Pourquoi ? Parce que si aucun mot ne débute par une voyelle, le mot du rang 1 ne comporterait que des consonnes ! Cette logique s'applique aussi au mot du rang 5.

A A A A A E L L N S

| | | | | |
|---|---|---|---|---|
| H | | | | |
| | S | | | |
| | | M | | |
| | | | L | |
| | | | | R |

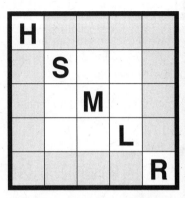

Ici, on sait qu'un mot commence par un A ou un E, et qu'un mot finit par un A ou un E.

Quels mots peuvent commencer par ES ? ESSOR, ESPAR, ESSES. Ça ne marche pas avec les lettres à caser.

A A A A A E L L N S

| | | | | |
|---|---|---|---|---|
| H | AE | AE | AE | AE |
| AE | S | | | AE |
| AE | | M | | AE |
| AE | | | L | AE |
| AE | AE | AE | AE | R |

Il est donc sûr que le coin supérieur contient un A. Et en respectant la logique des coins, on devine qu'un E se trouve à l'inférieur parce qu'ici, il n'y a pas de mot possible se terminant par AR.

Amusez-vous à terminer le jeu et voyez la solution à la page suivante.

~~A~~ A A A A ~~E~~ L L N S

| | | | | |
|---|---|---|---|---|
| H | A | | | |
| A | S | | | |
| | | M | | |
| | | | L | E |
| | | | E | R |

# Solutions des jeux

| | | | | |
|---|---|---|---|---|
| B | I | M | A | S |
| I | M | A | G | O |
| W | A | G | O | N |
| A | G | O | R | A |
| S | O | N | A | R |

| | | | | |
|---|---|---|---|---|
| H | A | L | A | L |
| A | S | A | N | A |
| L | A | M | A | S |
| A | N | A | L | E |
| L | A | S | E | R |

**1**

| | | | | |
|---|---|---|---|---|
| M | | | | |
| | R | | | |
| | | M | | |
| | | | G | |
| | | | | S |

A A E E I

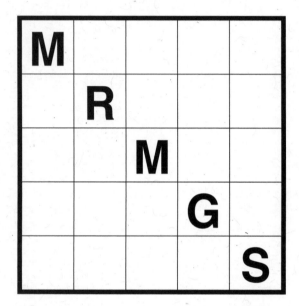

M N O R S

**2**

| | | | | |
|---|---|---|---|---|
| C | | | | |
| | C | | | |
| | | N | | |
| | | | N | |
| | | | | S |

E E E O R

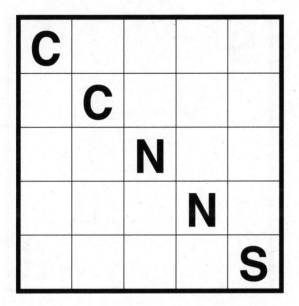

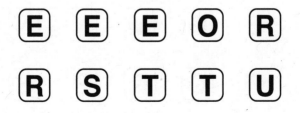

R S T T U

Débutant

## 3

| | | | | |
|---|---|---|---|---|
| S | | | | |
| | O | | | |
| | | L | | |
| | | | U | |
| | | | | E |

E G M N N

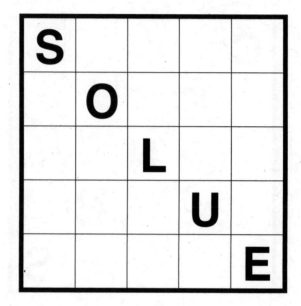

O O R S S

**4**

| | | | | |
|---|---|---|---|---|
| M | | | | |
| | M | | | |
| | | N | | |
| | | | U | |
| | | | | E |

A A D E I

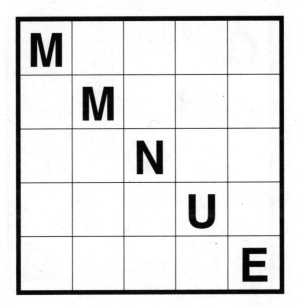

N N R S S

5

| | | | | |
|---|---|---|---|---|
| G | | | | |
| | R | | | |
| | | D | | |
| | | | G | |
| | | | | S |

A A A D E

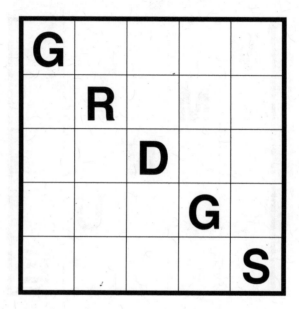

E I T T V

## 6

| | | | | |
|---|---|---|---|---|
| P | | | | |
| | N | | | |
| | | A | | |
| | | | A | |
| | | | | C |

A A C I I

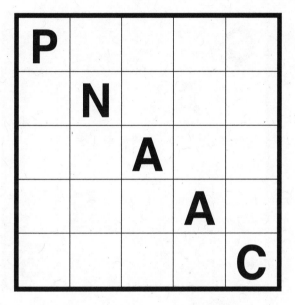

L P S S S

Débutant

**7**

| | | | | |
|---|---|---|---|---|
| C | | | | |
| | A | | | |
| | | O | | |
| | | | R | |
| | | | | S |

A A A E M

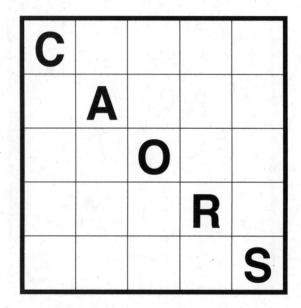

M R R T U

**8**

| | | | | |
|---|---|---|---|---|
| P | | | | |
| | L | | | |
| | | V | | |
| | | | U | |
| | | | | S |

A E E E M

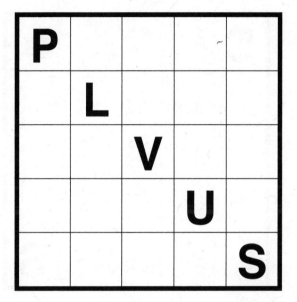

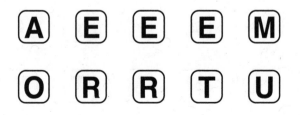

O R R T U

# 9

| | | | | |
|---|---|---|---|---|
| C | | | | |
| | U | | | |
| | | A | | |
| | | | T | |
| | | | | S |

A A H I I

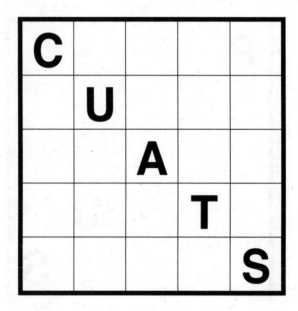

M N N T T

## 10

| | | | | |
|---|---|---|---|---|
| P | | | | |
| | L | | | |
| | | T | | |
| | | | N | |
| | | | | S |

A A A E G

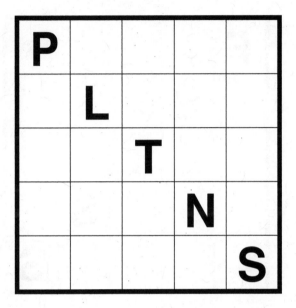

G I N S T

Débutant

# 11

| | | | | |
|---|---|---|---|---|
| F | | | | |
| | S | | | |
| | | T | | |
| | | | S | |
| | | | | S |

A A E E M

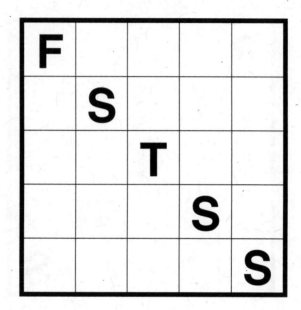

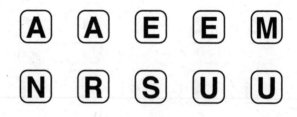

N R S U U

## 12

| | | | | |
|---|---|---|---|---|
| B | | | | |
| | V | | | |
| | | E | | |
| | | | D | |
| | | | | S |

A E E L R

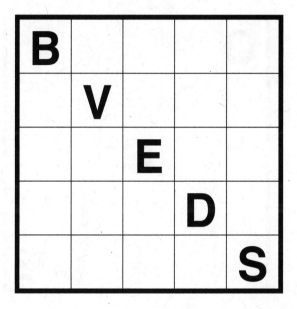

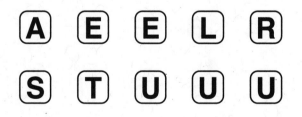

S T U U U

Débutant

## 13

| | | | | |
|---|---|---|---|---|
| O | | | | |
| | O | | | |
| | | G | | |
| | | | I | |
| | | | | E |

A B E E J

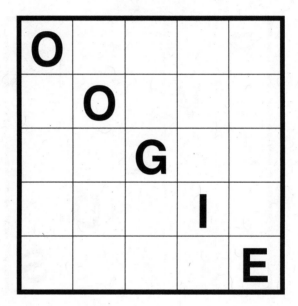

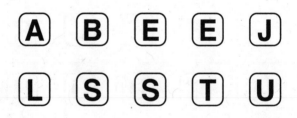

L S S T U

## 14

| | | | | |
|---|---|---|---|---|
| P | | | | |
| | P | | | |
| | | G | | |
| | | | U | |
| | | | | E |

A E E I I

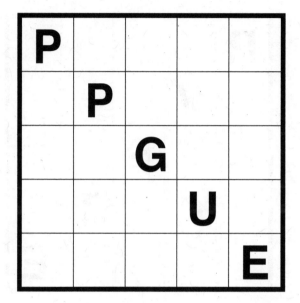

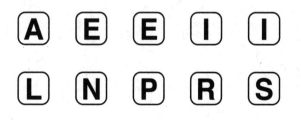

L N P R S

# 15

| | | | | |
|---|---|---|---|---|
| R | | | | |
| | V | | | |
| | | P | | |
| | | | T | |
| | | | | E |

| | | | | |
|---|---|---|---|---|
| A | A | A | I | K |
| L | O | S | S | S |

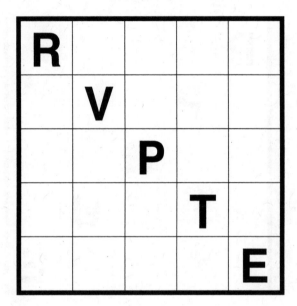

# 16

| | | | | |
|---|---|---|---|---|
| D | | | | |
| | L | | | |
| | | L | | |
| | | | R | |
| | | | | U |

A B D E E

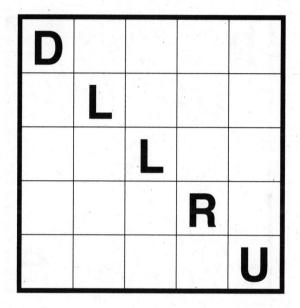

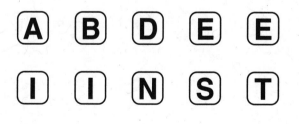

I I N S T

Débutant

# 17

| | | | | |
|---|---|---|---|---|
| P | | | | |
| | G | | | |
| | | R | | |
| | | | N | |
| | | | | E |

A A A C I

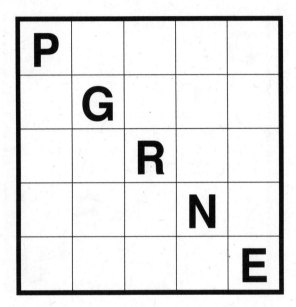

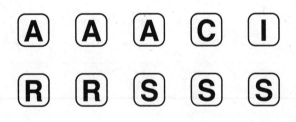

R R S S S

## 18

| | | | | |
|---|---|---|---|---|
| F | | | | |
| | M | | | |
| | | E | | |
| | | | T | |
| | | | | S |

A E E E I

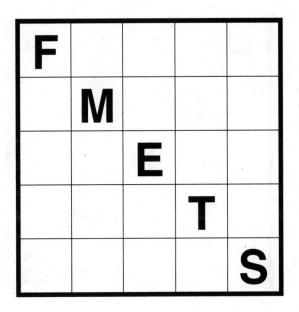

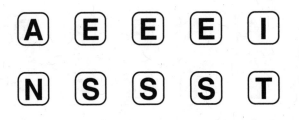

N S S S T

Débutant

# 19

| | | | | |
|---|---|---|---|---|
| F | | | | |
| | G | | | |
| | | M | | |
| | | | N | |
| | | | | S |

| | | | | |
|---|---|---|---|---|
| A | A | A | A | D |
| E | I | M | R | R |

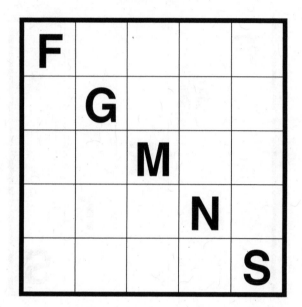

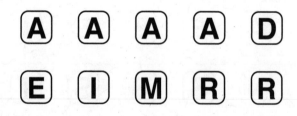

## 20

| | | | | |
|---|---|---|---|---|
| G | | | | |
| | A | | | |
| | | R | | |
| | | | N | |
| | | | | E |

E E I I L

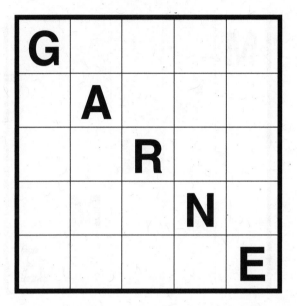

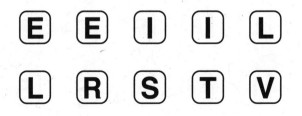

L R S T V

# 21

| | | | | |
|---|---|---|---|---|
| M | | | | |
| | N | | | |
| | | N | | |
| | | | M | |
| | | | | E |

A A E F I

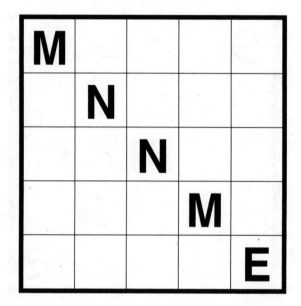

I M N S S

## 22

| | | | | |
|---|---|---|---|---|
| S | | | | |
| | M | | | |
| | | N | | |
| | | | V | |
| | | | | R |

A E E G I

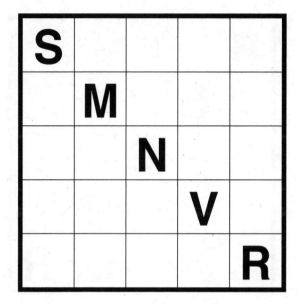

I O P R S

Débutant

**23**

| | | | | |
|---|---|---|---|---|
| R | | | | |
| | B | | | |
| | | G | | |
| | | | T | |
| | | | | R |

A E E I L

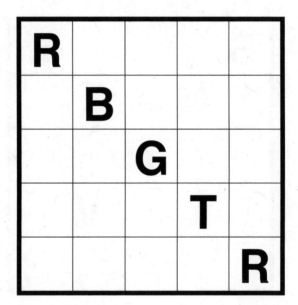

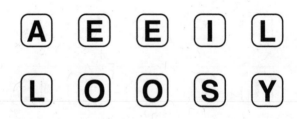

L O O S Y

**24**

| | | | | |
|---|---|---|---|---|
| S | | | | |
| | A | | | |
| | | A | | |
| | | | Y | |
| | | | | T |

A E E I N

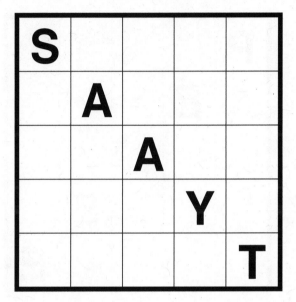

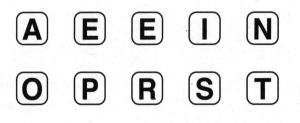

O P R S T

**25**

| | | | | |
|---|---|---|---|---|
| P | | | | |
| | E | | | |
| | | | | |
| | | | E | |
| | | | | E |

A D E L O

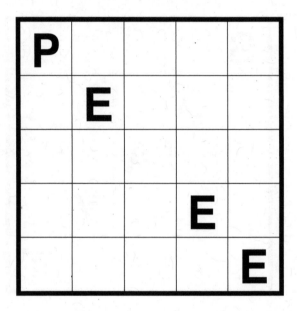

R R S T T U

## 26

| | | | | |
|---|---|---|---|---|
| V | | | | |
| | N | | | |
| | | | | |
| | | | D | |
| | | | | E |

A A E I I

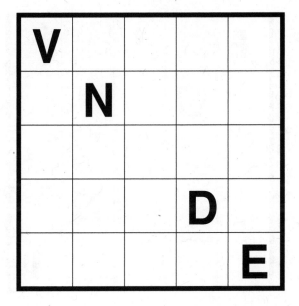

L O R S U V

# 27

| | | | | |
|---|---|---|---|---|
| I | | | | |
| | O | | | |
| | | | | |
| | | | N | |
| | | | | I |

E E F I N

O R S S T X

## 2 8

| | | | | |
|---|---|---|---|---|
| C | | | | |
| | V | | | |
| | | | | |
| | | | R | |
| | | | | R |

A A E E I

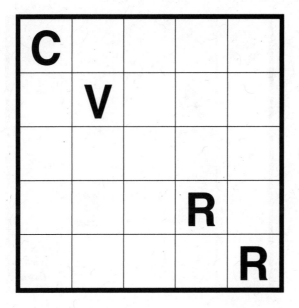

N O R R S T

# 29

| | | | | |
|---|---|---|---|---|
| S | | | | |
| | A | | | |
| | | | | |
| | | | E | |
| | | | | E |

A E E E F

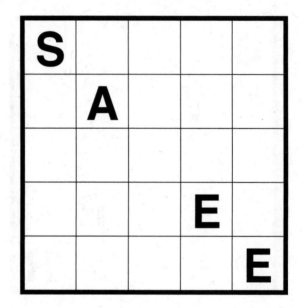

F R R R T T

## 30

| | | | | |
|---|---|---|---|---|
| S | | | | |
| | I | | | |
| | | | | |
| | | | S | |
| | | | | S |

A A A A E

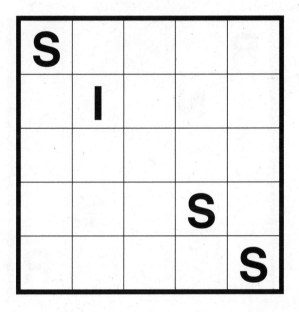

I K R T T T

## 31

| | | | | |
|---|---|---|---|---|
| R | | | | |
| | N | | | |
| | | | | |
| | | | M | |
| | | | | R |

A A A C E

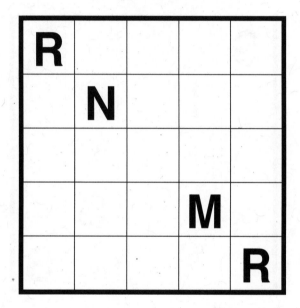

O O P R S S

## 32

| | | | | |
|---|---|---|---|---|
| C | | | | |
| | I | | | |
| | | | | |
| | | | T | |
| | | | | S |

A E E E H

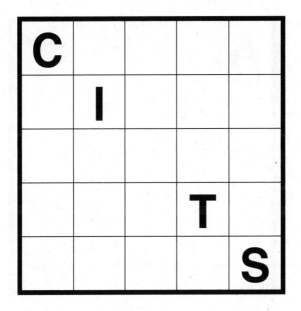

L N O R S V

Intermédiaire

# 33

| | | | | |
|---|---|---|---|---|
| A | | | | |
| | R | | | |
| | | | | |
| | | | A | |
| | | | | F |

A C C E I

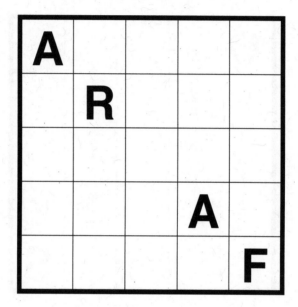

I I L O R S

## 34

| | | | | |
|---|---|---|---|---|
| M | | | | |
| | S | | | |
| | | | | |
| | | | S | |
| | | | | S |

A A B E I

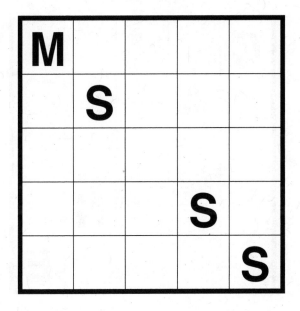

L R R S U U

Intermédiaire

**3 5**

| | | | | |
|---|---|---|---|---|
| C | | | | |
| | A | | | |
| | | | | |
| | | | N | |
| | | | | E |

D E E E H

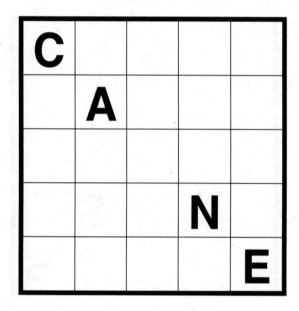

I I L N R T

## 36

| | | | | |
|---|---|---|---|---|
| O | | | | |
| | A | | | |
| | | | | |
| | | | E | |
| | | | | D |

A A A I I

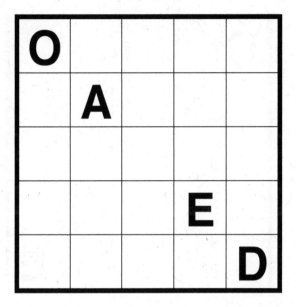

K P R S V V

## 37

| | | | | |
|---|---|---|---|---|
| C | | | | |
| | V | | | |
| | | | | |
| | | | E | |
| | | | | E |

A B I L O

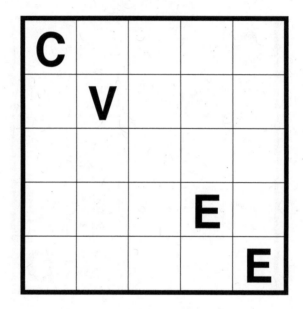

P R S S S U

**38**

| | | | | |
|---|---|---|---|---|
| I | | | | |
| | E | | | |
| | | | | |
| | | | T | |
| | | | | S |

D E E E I

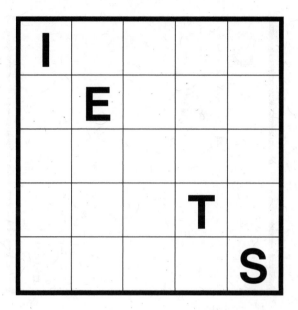

N O R S S X

# 39

| | | | | |
|---|---|---|---|---|
| S | | | | |
| | A | | | |
| | | | | |
| | | | N | |
| | | | | I |

A E E E M

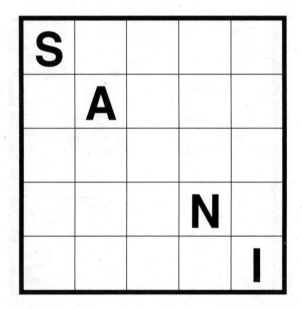

R R R S T T

## 40

| | | | | |
|---|---|---|---|---|
| S | | | | |
| | O | | | |
| | | | | |
| | | | O | |
| | | | | S |

A B E I N

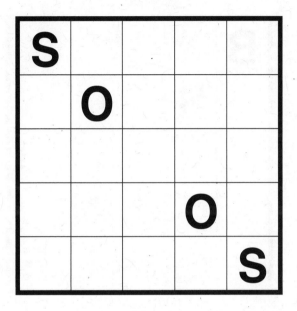

N O R S U V

Intermédiaire

# 41

| | | | | |
|---|---|---|---|---|
| B | | | | |
| | R | | | |
| | | | | |
| | | | N | |
| | | | | E |

A A B E I

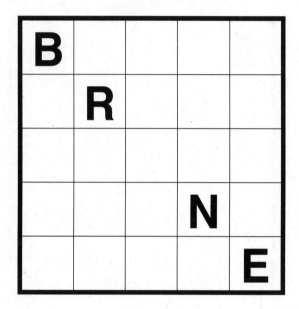

I N R R T U

# 42

| | | | | |
|---|---|---|---|---|
| A | | | | |
| | O | | | |
| | | | | |
| | | | D | |
| | | | | T |

A B B D E

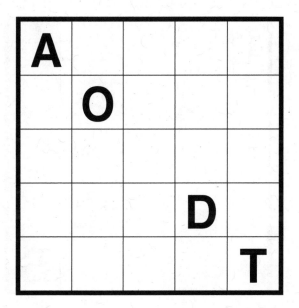

E I N O R S

# 43

| | | | | |
|---|---|---|---|---|
| C | | | | |
| | A | | | |
| | | | | |
| | | | L | |
| | | | | S |

D E E E I

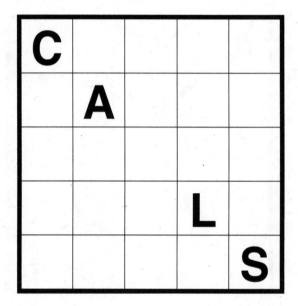

N O R S S V

**4 4**

| | | | | |
|---|---|---|---|---|
| R | | | | |
| | L | | | |
| | | | | |
| | | | E | |
| | | | | E |

D E E I M

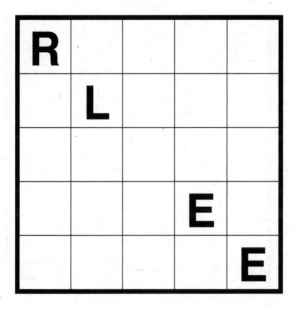

N N N O S U

**45**

| | | | | |
|---|---|---|---|---|
| A | | | | |
| | I | | | |
| | | | | |
| | | | R | |
| | | | | E |

A E H I I

L M O P S S

**46**

| | | | | |
|---|---|---|---|---|
| O | | | | |
| | O | | | |
| | | | | |
| | | | M | |
| | | | | S |

A B B E E

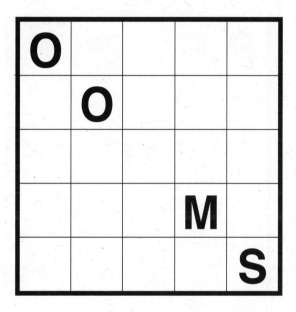

L R S T U U

# 47

| | | | | |
|---|---|---|---|---|
| R | | | | |
| | | | | |
| | | R | | |
| | | | | |
| | | | | A |

A E E E E M

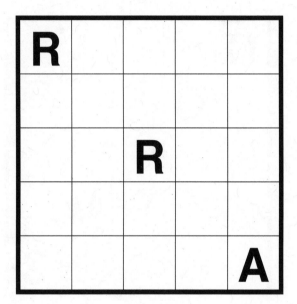

N N O R R T

**4 8**

| | | | | |
|---|---|---|---|---|
| U | | | | |
| | | | | |
| | | U | | |
| | | | | |
| | | | | Z |

A E E E I I

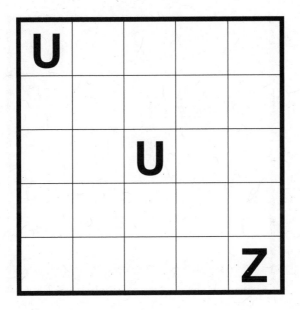

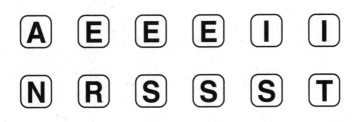

N R S S S T

**49**

| | | | | |
|---|---|---|---|---|
| | | | | |
| | O | | | |
| | | R | | |
| | | | E | |
| | | | | |

A E E E F F

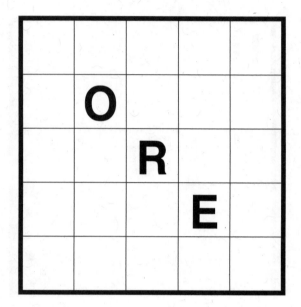

I R T T U U

**50**

| | | | | |
|---|---|---|---|---|
| | | | | |
| | C | | | |
| | | D | | |
| | | | R | |
| | | | | |

A A E E L M

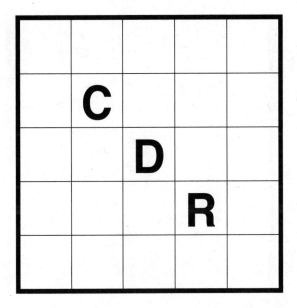

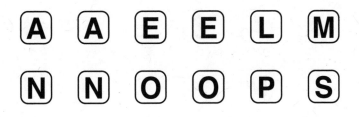

N N O O P S

Difficile

# 51

| | | | | |
|---|---|---|---|---|
| | | | | |
| | V | | | |
| | | S | | |
| | | | E | |
| | | | | |

A A C E E I

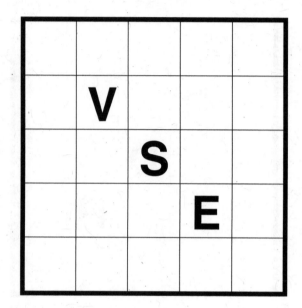

L M N O T T

# 52

| | | | | |
|---|---|---|---|---|
| H | | | | |
| | | | | |
| | | D | | |
| | | | | |
| | | | | E |

A A C E E M

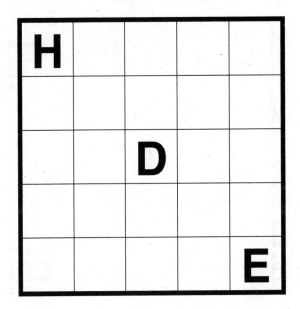

M O R R S S

Difficile

**53**

| | | | | |
|---|---|---|---|---|
| L | | | | |
| | | | | |
| | | L | | |
| | | | | |
| | | | | E |

E E E I I N

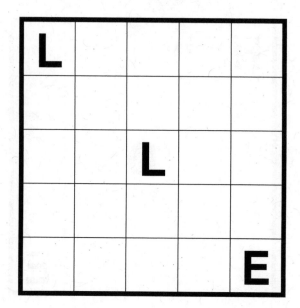

R T T U V V

54

| | | | | |
|---|---|---|---|---|
| | | | | |
| | N | | | |
| | | R | | |
| | | | P | |
| | | | | |

A C E E H I

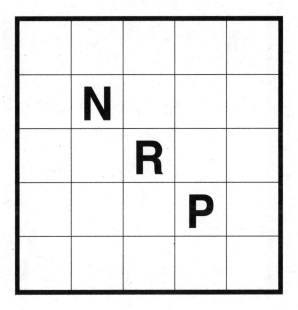

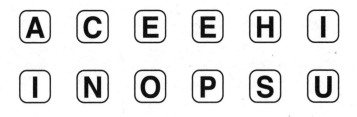

I N O P S U

# 55

| | | | | |
|---|---|---|---|---|
| M | | | | |
| | | | | |
| | | N | | |
| | | | | |
| | | | | A |

A E E E E I

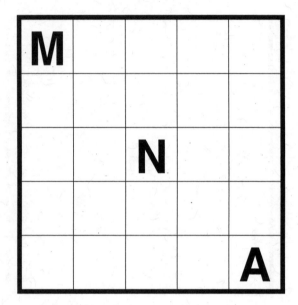

M N R R T T

## 56

| | | | | |
|---|---|---|---|---|
| J | | | | |
| | | | | |
| | | G | | |
| | | | | |
| | | | | E |

D E E I N O

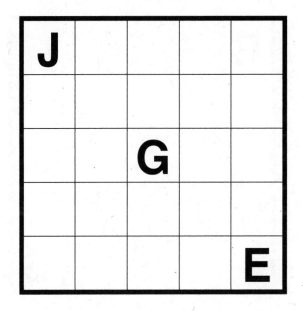

R S S T U U

**57**

| | | | | |
|---|---|---|---|---|
| C | | | | |
| | | | | |
| | | I | | |
| | | | | |
| | | | | S |

| | | | | | |
|---|---|---|---|---|---|
| A | E | E | E | E | I |
| L | R | R | R | V | V |

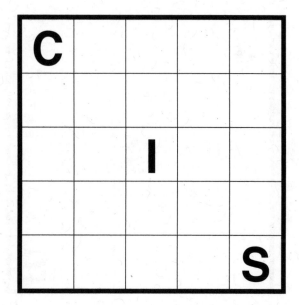

**5 8**

| | | | | |
|---|---|---|---|---|
| F | | | | |
| | | | | |
| | | O | | |
| | | | | |
| | | | | S |

A A E E E I

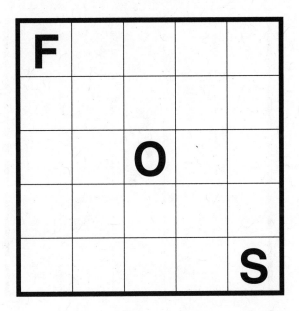

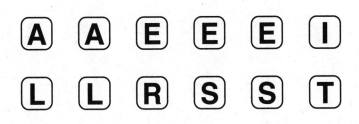

L L R S S T

Difficile

# 59

| | | | | |
|---|---|---|---|---|
| | | | | |
| | I | | | |
| | | O | | |
| | | | R | |
| | | | | |

A A C E E L

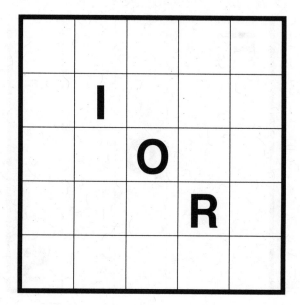

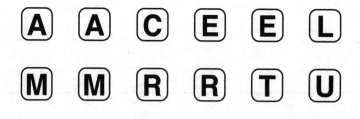

M M R R T U

## 60

| | | | | |
|---|---|---|---|---|
| | | | | |
| | I | | | |
| | | A | | |
| | | | T | |
| | | | | |

A A E E M N

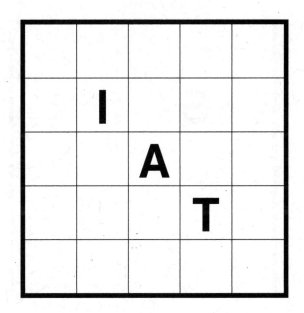

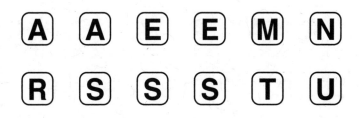

R S S S T U

Expert

# 61

| | | | | |
|---|---|---|---|---|
| | | | | |
| | S | | | |
| | | | | |
| | | | U | |
| | | | | |

A A A A C H

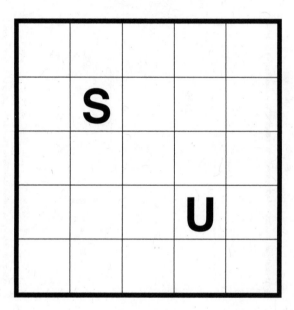

I P P S S T T

**62**

| | | | | |
|---|---|---|---|---|
| B | | | | |
| | | | | |
| | | | | |
| | | | | |
| | | | | S |

A A A B E E

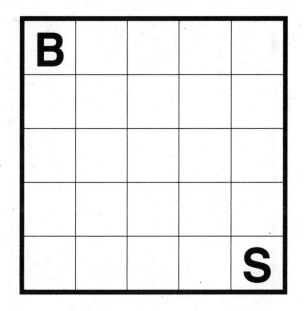

I M O R R R Z

Expert

## 63

| | | | | |
|---|---|---|---|---|
| L | | | | |
| | | | | |
| | | | | |
| | | | | |
| | | | | S |

A B C D E E

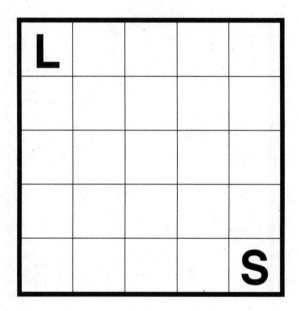

H I I N O R T

**6 4**

| | | | | |
|---|---|---|---|---|
| | | | | |
| | E | | | |
| | | | | |
| | | | G | |
| | | | | |

A A A E E E

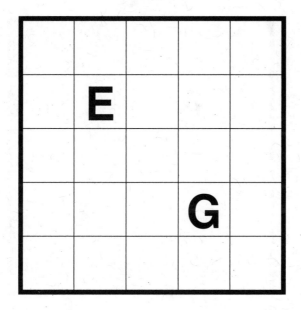

L L N T T U V

# 65

| | | | | |
|---|---|---|---|---|
| | | | | |
| | A | | | |
| | | | | |
| | | | A | |
| | | | | |

A C E E E H

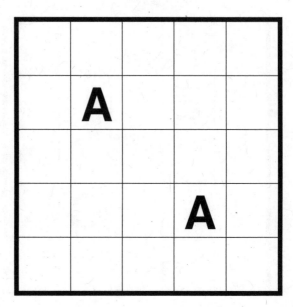

N O R T T T V

66

| | | | | |
|---|---|---|---|---|
| O | | | | |
| | | | | |
| | | | | |
| | | | | |
| | | | | R |

A D E E E G

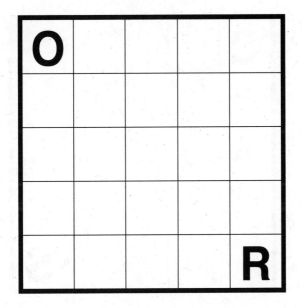

I I I N R T V

## 67

| | | | | |
|---|---|---|---|---|
| C | | | | |
| | | | | |
| | | | | |
| | | | | |
| | | | | S |

A A E E E L

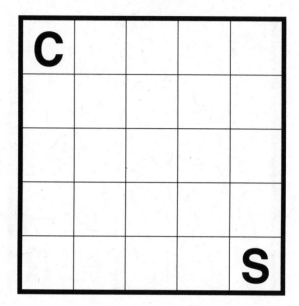

M N O S S T V

**68**

| | | | | |
|---|---|---|---|---|
| | | | | |
| | V | | | |
| | | | | |
| | | | O | |
| | | | | |

A D E E E L

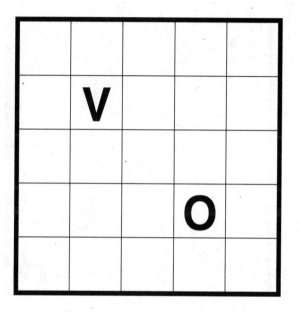

N N R S S U V

# 69

| | | | | |
|---|---|---|---|---|
| C | | | | |
| | | | | |
| | | I | | |
| | | | E | |
| | | | | H |

A A A E I

L L M N N T

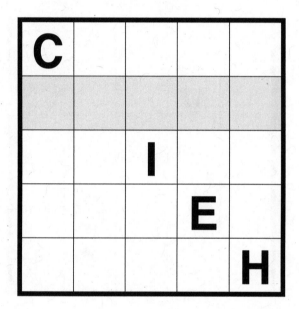

Le rang 2 de ces deux sudocroisés comporte le prénom...

**70**

| | | | | |
|---|---|---|---|---|
| A | | | | |
| | | | | |
| | | U | | |
| | | | E | |
| | | | | A |

A D E E E

G L L M N O

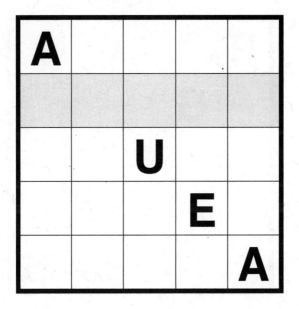

… et le nom d'un acteur de cinéma.

## 71

| | | | | |
|---|---|---|---|---|
| R | | | | |
| | G | | | |
| | | | | |
| | | | T | |
| | | | | S |

A A A D D

I I I M S V

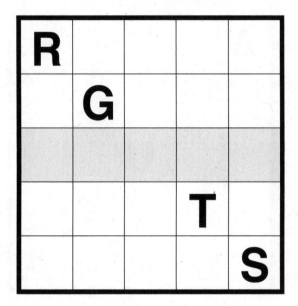

Le rang 3 de ces deux sudocroisés
comporte le prénom…

72

| | | | | |
|---|---|---|---|---|
| B | | | | |
| | M | | | |
| | | | | |
| | | | S | |
| | | | | K |

A A A B E

I N O S T W

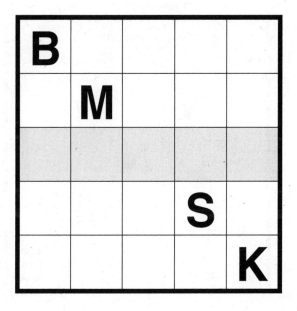

… et le nom d'un chanteur.

**7** **3**

| | | | | |
|---|---|---|---|---|
| | | | | |
| | V | | | |
| | | N | | |
| | | | A | |
| | | | | E |

A E E I J

M N S T T U

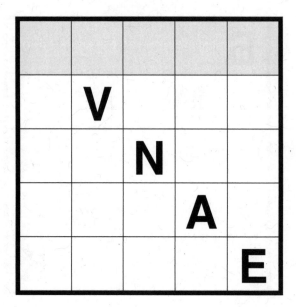

Le rang 1 de ces deux sudocroisés
comporte le prénom…

## 74

| | | | | |
|---|---|---|---|---|
| | | | | |
| | A | | | |
| | | I | | |
| | | | N | |
| | | | | T |

A B E I L

N N R S T U

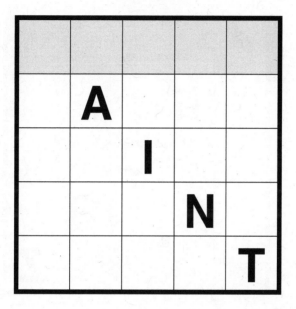

… et le nom d'un chanteur.

**75**

| | | | | |
|---|---|---|---|---|
| | | | | |
| | L | | | |
| | | O | | |
| | | | D | |
| | | | | Z |

A A A C E

I L N R S S

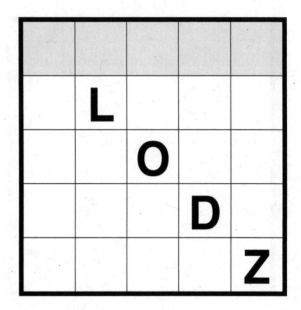

Le rang 1 de ces deux sudocroisés
comporte le prénom…

**7 6**

| | | | | |
|---|---|---|---|---|
| | | | | |
| | O | | | |
| | | I | | |
| | | | A | |
| | | | | D |

A A B I N

N R R S S U

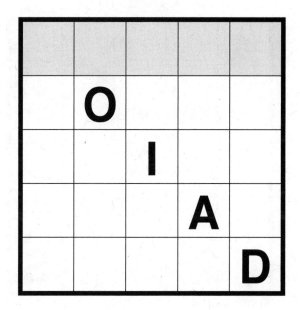

… et le nom d'une chanteuse.

## 77

| | | | | |
|---|---|---|---|---|
| A | | | | |
| | | | | |
| | | N | | |
| | | | S | |
| | | | | S |

A D E E E

I O P R S S

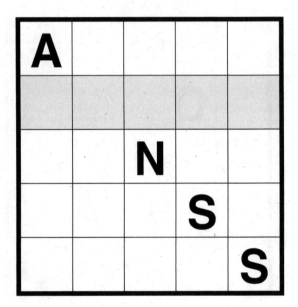

Le rang 2 de ce sudocroisé comporte le nom d'une capitale.

**78**

| | | | | |
|---|---|---|---|---|
| | | | | |
| | D | | | |
| | | T | | |
| | | | N | |
| | | | | S |

A A A E E

L L O R R V

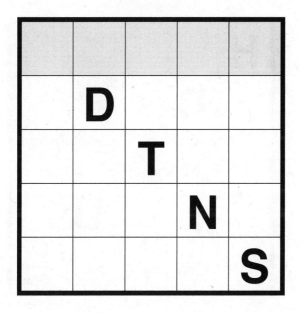

Le rang 1 de ce sudocroisé
comporte le nom d'une ville.

**79**

| | | | | |
|---|---|---|---|---|
| H | | | | |
| | D | | | |
| | | | | |
| | | | U | |
| | | | | E |

A A E E G

J N O P S T

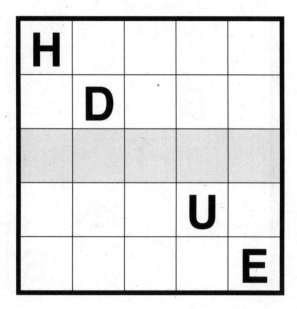

Le rang 3 de ce sudocroisé comporte le nom d'un pays.

**80**

| | | | | |
|---|---|---|---|---|
| C | | | | |
| | V | | | |
| | | | | |
| | | | R | |
| | | | | R |

A A A B E

E I R S T T

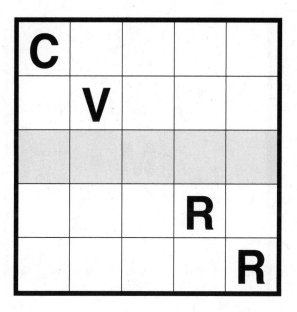

Le rang 3 de ce sudocroisé comporte le nom d'une capitale.

# 81

| | | | | |
|---|---|---|---|---|
| | | | | |
| | D | | | |
| | | M | | |
| | | | A | |
| | | | | S |

A E E E I

I L L L L M

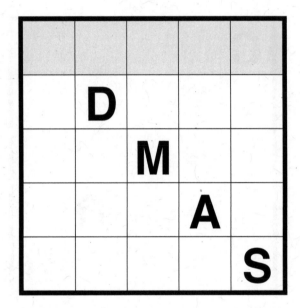

Le rang 1 de ce sudocroisé comporte le nom d'une ville.

# 82

| | | | | |
|---|---|---|---|---|
| R | | | | |
| | S | | | |
| | | | | |
| | | | L | |
| | | | | S |

A A A A A

D E K N R R

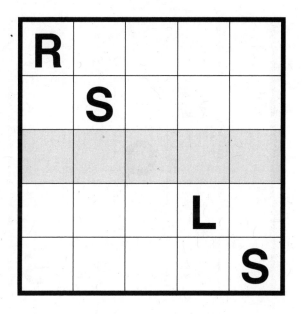

Le rang 3 de ce sudocroisé comporte le nom d'une capitale.

# 83

| | | | | |
|---|---|---|---|---|
| C | | | | |
| | U | | | |
| | | O | | |
| | | | | |
| | | | | S |

A A E H I

M M N R T U

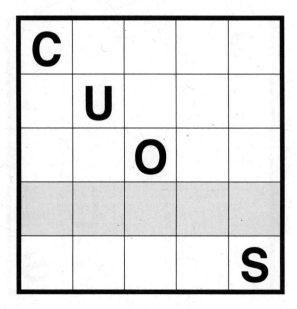

Le rang 4 de ce sudocroisé comporte le nom d'une ville.

## 84

| | | | | |
|---|---|---|---|---|
| A | | | | |
| | | | | |
| | | I | | |
| | | | T | |
| | | | | R |

E E E L O

O P P R S T

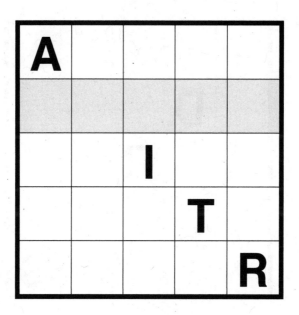

Le rang 2 de ce sudocroisé
comporte le nom d'une ville.

# 85

| | | | | |
|---|---|---|---|---|
| | D | | | |
| | | R | | |
| | | | L | |
| | | | | S |

A A C E E

M N N O O R

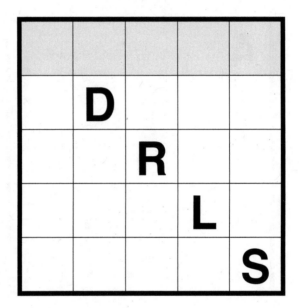

Le rang 1 de ce sudocroisé comporte le nom d'une ville.

**8 6**

| | | | | |
|---|---|---|---|---|
| C | | | | |
| | S | | | |
| | | N | | |
| | | | | |
| | | | | S |

E E E E M

M O S S S U

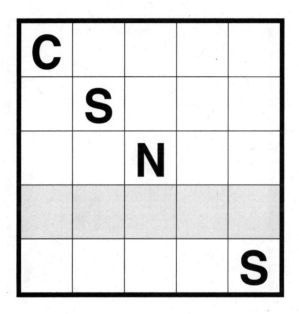

Le rang 4 de ce sudocroisé
comporte le nom d'un fleuve.

**8 7**

| | | | | |
|---|---|---|---|---|
| | | | | |
| | E | | | |
| | | A | | |
| | | | N | |
| | | | | R |

E E H N N

N O O R R T

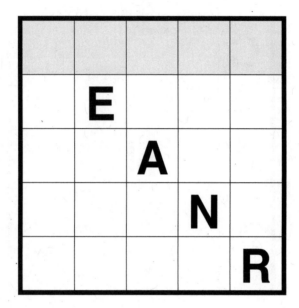

Le rang 1 de ce sudocroisé comporte le nom d'un fleuve.

## 88

| | | | | |
|---|---|---|---|---|
| B | | | | |
| | J | | | |
| | | L | | |
| | | | | |
| | | | | S |

A D E E E

O R S S S U

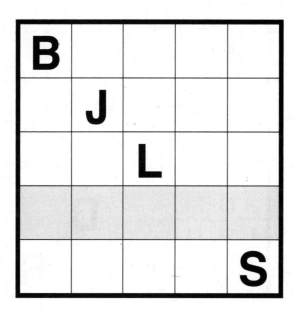

Le rang 4 de ce sudocroisé
comporte le nom d'un pays.

## 89

| | | | | |
|---|---|---|---|---|
| R | | | | |
| | D | | | |
| | | | | |
| | | | D | |
| | | | | R |

A A A D E

I O R R R S

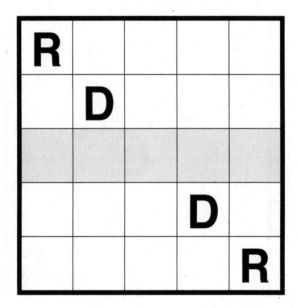

Le rang 3 de ce sudocroisé
comporte un prénom.

## 90

| | | | | |
|---|---|---|---|---|
| T | | | | |
| | M | | | |
| | | | | |
| | | | L | |
| | | | | R |

A A C E E

N N N O R Y

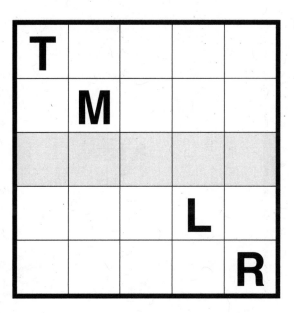

Le rang 3 de ce sudocroisé
comporte un prénom.

# 91

| | | | | |
|---|---|---|---|---|
| | | | | |
| | V | | | |
| | | N | | |
| | | | R | |
| | | | | S |

A C D E E

I M O O R R

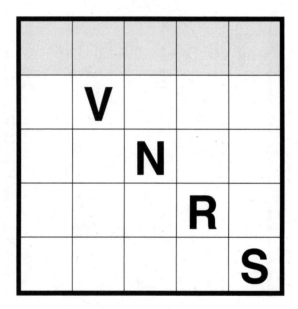

Le rang 1 de ce sudocroisé
comporte un prénom.

## 92

| | | | | |
|---|---|---|---|---|
| | | | | |
| | V | | | |
| | | R | | |
| | | | T | |
| | | | | E |

A A A D D

I L N O S V

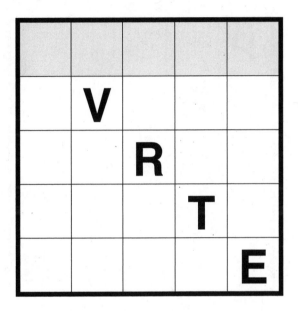

Le rang 1 de ce sudocroisé comporte un prénom.

# 93

| | | | | |
|---|---|---|---|---|
| P | | | | |
| | B | | | |
| | | | | |
| | | | R | |
| | | | | R |

A E E E I

L L O R S U

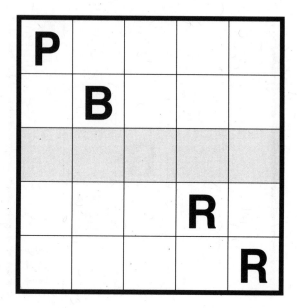

Le rang 3 de ce sudocroisé comporte un prénom.

## 94

| | | | | |
|---|---|---|---|---|
| A | | | | |
| | | | | |
| | | I | | |
| | | | E | |
| | | | | A |

A E E E L

L R R R R U

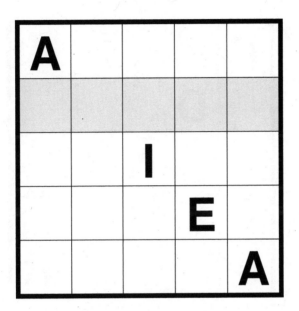

Le rang 2 de ce sudocroisé comporte un prénom.

**95**

| | | | | |
|---|---|---|---|---|
| R | | | | |
| | D | | | |
| | | N | | |
| | | | | |
| | | | | R |

A A E E I

L P R S T U

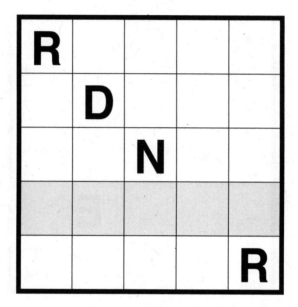

Le rang 4 de ce sudocroisé comporte un prénom.

## 96

| | | | | |
|---|---|---|---|---|
| H | | | | |
| | | | | |
| | | V | | |
| | | | E | |
| | | | | E |

A D E E E

L M R S S U

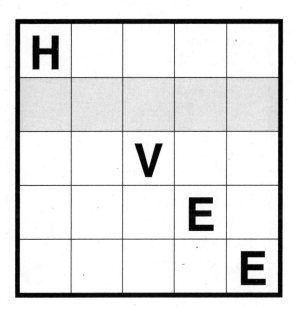

Le rang 2 de ce sudocroisé
comporte un prénom.

# 97

| | | | | |
|---|---|---|---|---|
| | | | | |
| | T | | | |
| | | E | | |
| | | | R | |
| | | | | S |

E E E E G

I N R R S S

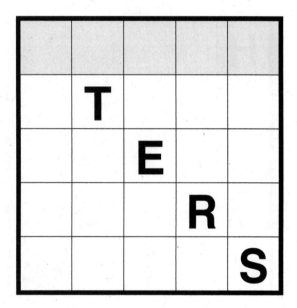

Le rang 1 de ce sudocroisé comporte un prénom.

**98**

| | | | | |
|---|---|---|---|---|
| | | | | |
| | V | | | |
| | | N | | |
| | | | E | |
| | | | | S |

A E E E E

J M N S T U

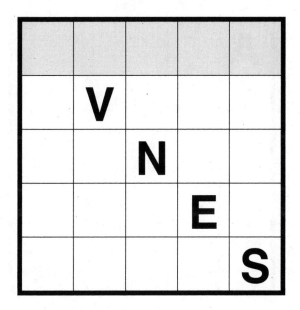

Le rang 1 de ce sudocroisé
comporte un prénom.

**99**

| | | | | |
|---|---|---|---|---|
| A | | | | |
| | | | | |
| | | N | | |
| | | | A | |
| | | | | T |

A C D E E

I I N N R T

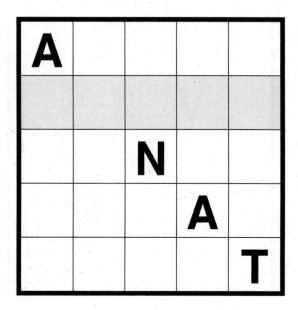

Le rang 2 de ce sudocroisé comporte un prénom.

# 100

| | | | | |
|---|---|---|---|---|
| | | | | |
| | A | | | |
| | | A | | |
| | | | A | |
| | | | | E |

A C E E G

I R R T T V

Le rang 1 de ce sudocroisé comporte un prénom.

**1**

| | | | | |
|---|---|---|---|---|
| M | A | R | I | S |
| A | R | O | M | E |
| R | O | M | A | N |
| I | M | A | G | E |
| S | E | N | E | S |

**2**

| | | | | |
|---|---|---|---|---|
| C | O | U | R | T |
| O | C | R | E | E |
| U | R | N | E | S |
| R | E | E | N | T |
| T | E | S | T | S |

**3**

| | | | | |
|---|---|---|---|---|
| S | M | O | G | S |
| M | O | R | N | E |
| O | R | L | O | N |
| G | N | O | U | S |
| S | E | N | S | E |

**4**

| | | | | |
|---|---|---|---|---|
| M | A | R | I | N |
| A | M | E | N | A |
| R | E | N | D | S |
| I | N | D | U | S |
| N | A | S | S | E |

**5**

| | | | | |
|---|---|---|---|---|
| G | A | V | A | T |
| A | R | I | D | E |
| V | I | D | A | T |
| A | D | A | G | E |
| T | E | T | E | S |

**6**

| | | | | |
|---|---|---|---|---|
| P | I | S | S | A |
| I | N | C | A | S |
| S | C | A | L | P |
| S | A | L | A | I |
| A | S | P | I | C |

**7**

| | | | | |
|---|---|---|---|---|
| C | R | A | M | A |
| R | A | M | A | T |
| A | M | O | U | R |
| M | A | U | R | E |
| A | T | R | E | S |

**8**

| | | | | |
|---|---|---|---|---|
| P | O | R | T | A |
| O | L | E | U | M |
| R | E | V | E | E |
| T | U | E | U | R |
| A | M | E | R | S |

**9**

| | | | | |
|---|---|---|---|---|
| C | H | A | N | T |
| H | U | M | A | I |
| A | M | A | N | T |
| N | A | N | T | I |
| T | I | T | I | S |

**10**

| | | | | |
|---|---|---|---|---|
| P | A | G | E | S |
| A | L | I | T | A |
| G | I | T | A | N |
| E | T | A | N | G |
| S | A | N | G | S |

**11**

| | | | | |
|---|---|---|---|---|
| F | U | M | A | S |
| U | S | U | R | E |
| M | U | T | A | N |
| A | R | A | S | E |
| S | E | N | E | S |

**12**

| | | | | |
|---|---|---|---|---|
| B | U | T | E | S |
| U | V | U | L | E |
| T | U | E | U | R |
| E | L | U | D | A |
| S | E | R | A | S |

**13**

| | | | | |
|---|---|---|---|---|
| O | B | J | E | T |
| B | O | U | L | A |
| J | U | G | E | S |
| E | L | E | I | S |
| T | A | S | S | E |

**14**

| | | | | |
|---|---|---|---|---|
| P | E | P | I | N |
| E | P | I | L | A |
| P | I | G | E | R |
| I | L | E | U | S |
| N | A | R | S | E |

**15**

| | | | | |
|---|---|---|---|---|
| R | A | K | I | S |
| A | V | A | L | A |
| K | A | P | O | S |
| I | L | O | T | S |
| S | A | S | S | E |

**16**

| | | | | |
|---|---|---|---|---|
| D | E | B | I | T |
| E | L | I | S | E |
| B | I | L | A | N |
| I | S | A | R | D |
| T | E | N | D | U |

**17**

| | | | | |
|---|---|---|---|---|
| P | A | R | C | S |
| A | G | I | R | A |
| R | I | R | A | S |
| C | R | A | N | S |
| S | A | S | S | E |

**18**

| | | | | |
|---|---|---|---|---|
| F | A | S | T | E |
| A | M | I | E | S |
| S | I | E | N | S |
| T | E | N | T | E |
| E | S | S | E | S |

**19**

| | | | | |
|---|---|---|---|---|
| F | A | R | A | D |
| A | G | A | M | I |
| R | A | M | E | R |
| A | M | E | N | A |
| D | I | R | A | S |

**20**

| | | | | |
|---|---|---|---|---|
| G | R | I | L | L |
| R | A | V | I | E |
| I | V | R | E | S |
| L | I | E | N | T |
| L | E | S | T | E |

**21**

| | | | | |
|---|---|---|---|---|
| M | A | N | I | F |
| A | N | I | M | E |
| N | I | N | A | S |
| I | M | A | M | S |
| F | E | S | S | E |

**22**

| | | | | |
|---|---|---|---|---|
| S | I | R | O | P |
| I | M | A | G | E |
| R | A | N | I | S |
| O | G | I | V | E |
| P | E | S | E | R |

**23**

| | | | | |
|---|---|---|---|---|
| R | O | Y | A | L |
| O | B | O | L | E |
| Y | O | G | I | S |
| A | L | I | T | E |
| L | E | S | E | R |

**24**

| | | | | |
|---|---|---|---|---|
| S | P | E | O | S |
| P | A | T | R | E |
| E | T | A | I | N |
| O | R | I | Y | A |
| S | E | N | A | T |

## 25

| | | | | |
|---|---|---|---|---|
| P | L | A | T | S |
| L | E | R | O | T |
| A | R | D | U | E |
| T | O | U | E | R |
| S | T | E | R | E |

## 26

| | | | | |
|---|---|---|---|---|
| V | I | V | R | A |
| I | N | O | U | I |
| V | O | L | A | S |
| R | U | A | D | E |
| A | I | S | E | E |

## 27

| | | | | |
|---|---|---|---|---|
| I | N | F | O | S |
| N | O | I | S | E |
| F | I | X | E | R |
| O | S | E | N | T |
| S | E | R | T | I |

## 28

| | | | | |
|---|---|---|---|---|
| C | A | S | T | E |
| A | V | O | I | R |
| S | O | N | A | R |
| T | I | A | R | E |
| E | R | R | E | R |

## 29

| | | | | |
|---|---|---|---|---|
| S | T | A | F | F |
| T | A | R | E | R |
| A | R | E | T | E |
| F | E | T | E | R |
| F | R | E | R | E |

## 30

| | | | | |
|---|---|---|---|---|
| S | T | E | A | K |
| T | I | T | R | A |
| E | T | A | I | T |
| A | R | I | S | A |
| K | A | T | A | S |

## 31

| | | | | |
|---|---|---|---|---|
| R | A | S | A | S |
| A | N | C | R | A |
| S | C | O | O | P |
| A | R | O | M | E |
| S | A | P | E | R |

## 32

| | | | | |
|---|---|---|---|---|
| C | H | A | L | E |
| H | I | V | E | R |
| A | V | O | N | S |
| L | E | N | T | E |
| E | R | S | E | S |

## 33

| | | | | |
|---|---|---|---|---|
| A | C | C | R | O |
| C | R | I | A | I |
| C | I | E | L | S |
| R | A | L | A | I |
| O | I | S | I | F |

## 34

| | | | | |
|---|---|---|---|---|
| M | U | R | A | L |
| U | S | U | R | E |
| R | U | B | I | S |
| A | R | I | S | A |
| L | E | S | A | S |

## 35

| | | | | |
|---|---|---|---|---|
| C | H | I | E | R |
| H | A | L | T | E |
| I | L | I | E | N |
| E | T | E | N | D |
| R | E | N | D | E |

## 36

| | | | | |
|---|---|---|---|---|
| O | K | A | P | I |
| K | A | V | A | S |
| A | V | I | V | A |
| P | A | V | E | R |
| I | S | A | R | D |

## 37

| | | | | |
|---|---|---|---|---|
| C | O | R | P | S |
| O | V | U | L | A |
| R | U | B | I | S |
| P | L | I | E | S |
| S | A | S | S | E |

## 38

| | | | | |
|---|---|---|---|---|
| I | X | O | D | E |
| X | E | R | E | S |
| O | R | I | N | S |
| D | E | N | T | E |
| E | S | S | E | S |

## 39

| | | | | |
|---|---|---|---|---|
| S | T | A | R | S |
| T | A | R | E | E |
| A | R | M | E | R |
| R | E | E | N | T |
| S | E | R | T | I |

## 40

| | | | | |
|---|---|---|---|---|
| S | N | O | B | S |
| N | O | U | A | I |
| O | U | V | R | E |
| B | A | R | O | N |
| S | I | E | N | S |

**41**

| | | | | |
|---|---|---|---|---|
| B | A | R | B | U |
| A | R | I | E | N |
| R | I | R | A | I |
| B | E | A | N | T |
| U | N | I | T | E |

**42**

| | | | | |
|---|---|---|---|---|
| A | B | B | E | S |
| B | O | I | R | E |
| B | I | D | O | N |
| E | R | O | D | A |
| S | E | N | A | T |

**43**

| | | | | |
|---|---|---|---|---|
| C | R | E | V | E |
| R | A | N | I | S |
| E | N | D | O | S |
| V | I | O | L | E |
| E | S | S | E | S |

**44**

| | | | | |
|---|---|---|---|---|
| R | O | N | D | E |
| O | L | E | U | M |
| N | E | N | N | I |
| D | U | N | E | S |
| E | M | I | S | E |

**45**

| | | | | |
|---|---|---|---|---|
| A | L | E | P | H |
| L | I | M | A | I |
| E | M | O | I | S |
| P | A | I | R | S |
| H | I | S | S | E |

**46**

| | | | | |
|---|---|---|---|---|
| O | B | T | U | S |
| B | O | U | L | E |
| T | U | B | E | R |
| U | L | E | M | A |
| S | E | R | A | S |

**47**

| | | | | |
|---|---|---|---|---|
| R | A | M | E | R |
| A | N | O | N | E |
| M | O | R | T | E |
| E | N | T | E | R |
| R | E | E | R | A |

**48**

| | | | | |
|---|---|---|---|---|
| U | S | E | R | A |
| S | I | T | E | S |
| E | T | U | I | S |
| R | E | I | N | E |
| A | S | S | E | Z |

## 49

| | | | | |
|---|---|---|---|---|
| E | F | F | E | T |
| F | O | U | T | U |
| F | U | R | I | E |
| E | T | I | E | R |
| T | U | E | R | A |

## 50

| | | | | |
|---|---|---|---|---|
| M | E | L | O | N |
| E | C | O | P | A |
| L | O | D | E | N |
| O | P | E | R | A |
| N | A | N | A | S |

## 51

| | | | | |
|---|---|---|---|---|
| L | A | C | T | E |
| A | V | I | O | N |
| C | I | S | T | E |
| T | O | T | E | M |
| E | N | E | M | A |

## 52

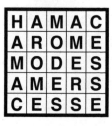

| | | | | |
|---|---|---|---|---|
| H | A | M | A | C |
| A | R | O | M | E |
| M | O | D | E | S |
| A | M | E | R | S |
| C | E | S | S | E |

## 53

| | | | | |
|---|---|---|---|---|
| L | I | V | R | E |
| I | N | U | I | T |
| V | U | L | V | E |
| R | I | V | E | T |
| E | T | E | T | E |

## 54

| | | | | |
|---|---|---|---|---|
| N | I | C | H | A |
| I | N | O | U | I |
| C | O | R | P | S |
| H | U | P | P | E |
| A | I | S | E | E |

## 55

| | | | | |
|---|---|---|---|---|
| M | A | T | E | R |
| A | M | I | N | E |
| T | I | N | T | E |
| E | N | T | E | R |
| R | E | E | R | A |

## 56

| | | | | |
|---|---|---|---|---|
| J | O | U | E | T |
| O | U | R | D | I |
| U | R | G | E | S |
| E | D | E | N | S |
| T | I | S | S | E |

## 57

| | | | | |
|---|---|---|---|---|
| C | R | E | V | E |
| R | A | V | I | R |
| E | V | I | E | R |
| V | I | E | L | E |
| E | R | R | E | S |

## 58

| | | | | |
|---|---|---|---|---|
| F | A | I | R | E |
| A | L | L | A | S |
| I | L | O | T | S |
| R | A | T | E | E |
| E | S | S | E | S |

## 59

| | | | | |
|---|---|---|---|---|
| C | L | A | M | A |
| L | I | M | E | R |
| A | M | O | U | R |
| M | E | U | R | E |
| A | R | R | E | T |

## 60

| | | | | |
|---|---|---|---|---|
| A | M | U | S | E |
| M | I | S | A | S |
| U | S | A | N | T |
| S | A | N | T | E |
| E | S | T | E | R |

## 61

| | | | | |
|---|---|---|---|---|
| P | A | S | S | A |
| A | S | P | I | C |
| S | P | A | T | H |
| S | I | T | U | A |
| A | C | H | A | T |

## 62

| | | | | |
|---|---|---|---|---|
| B | A | Z | A | R |
| A | M | E | R | E |
| Z | E | B | R | A |
| A | R | R | O | I |
| R | E | A | I | S |

## 63

| | | | | |
|---|---|---|---|---|
| L | O | C | H | E |
| O | B | E | I | T |
| C | E | R | N | A |
| H | I | N | D | I |
| E | T | A | I | S |

## 64

| | | | | |
|---|---|---|---|---|
| A | V | A | N | T |
| V | E | L | U | E |
| A | L | L | A | T |
| N | U | A | G | E |
| T | E | T | E | E |

## 65

| | | | | |
|---|---|---|---|---|
| C | R | E | V | A |
| R | A | T | O | N |
| E | T | E | T | E |
| V | O | T | A | T |
| A | N | E | T | H |

## 66

| | | | | |
|---|---|---|---|---|
| O | G | I | V | E |
| G | E | N | A | T |
| I | N | D | R | I |
| V | A | R | I | E |
| E | T | I | E | R |

## 67

| | | | | |
|---|---|---|---|---|
| C | L | A | M | E |
| L | A | V | E | S |
| A | V | O | N | S |
| M | E | N | T | E |
| E | S | S | E | S |

## 68

| | | | | |
|---|---|---|---|---|
| L | A | V | E | R |
| A | V | E | N | U |
| V | E | N | D | S |
| E | N | D | O | S |
| R | U | S | S | E |

## 69

| | | | | |
|---|---|---|---|---|
| C | A | L | M | A |
| A | L | A | I | N |
| L | A | I | N | E |
| M | I | N | E | T |
| A | N | E | T | H |

## 70

| | | | | |
|---|---|---|---|---|
| A | D | A | G | E |
| D | E | L | O | N |
| A | L | U | L | E |
| G | O | L | E | M |
| E | N | E | M | A |

## 71

| | | | | |
|---|---|---|---|---|
| R | A | D | I | S |
| A | G | A | M | I |
| D | A | V | I | D |
| I | M | I | T | A |
| S | I | D | A | S |

## 72

| | | | | |
|---|---|---|---|---|
| B | A | B | A | S |
| A | M | O | N | T |
| B | O | W | I | E |
| A | N | I | S | A |
| S | T | E | A | K |

## 73

| | | | | |
|---|---|---|---|---|
| J | A | M | E | S |
| A | V | E | N | U |
| M | E | N | T | I |
| E | N | T | A | T |
| S | U | I | T | E |

## 74

| | | | | |
|---|---|---|---|---|
| B | L | U | N | T |
| L | A | S | E | R |
| U | S | I | N | A |
| N | E | N | N | I |
| T | R | A | I | T |

## 75

| | | | | |
|---|---|---|---|---|
| C | A | R | L | A |
| A | L | I | A | S |
| R | I | O | N | S |
| L | A | N | D | E |
| A | S | S | E | Z |

## 76

| | | | | |
|---|---|---|---|---|
| B | R | U | N | I |
| R | O | S | A | S |
| U | S | I | N | A |
| N | A | N | A | R |
| I | S | A | R | D |

## 77

| | | | | |
|---|---|---|---|---|
| A | P | O | D | E |
| P | A | R | I | S |
| O | R | N | E | S |
| D | I | E | S | E |
| E | S | S | E | S |

## 78

| | | | | |
|---|---|---|---|---|
| L | A | V | A | L |
| A | D | O | R | E |
| V | O | T | E | R |
| A | R | E | N | A |
| L | E | S | A | S |

## 79

| | | | | |
|---|---|---|---|---|
| H | A | J | E | S |
| A | D | A | G | E |
| J | A | P | O | N |
| E | G | O | U | T |
| S | E | N | T | E |

## 80

| | | | | |
|---|---|---|---|---|
| C | A | R | T | E |
| A | V | A | I | S |
| R | A | B | A | T |
| T | I | A | R | E |
| E | S | T | E | R |

## 81

| | | | | |
|---|---|---|---|---|
| L | I | L | L | E |
| I | D | E | A | L |
| L | E | M | M | E |
| L | A | M | A | I |
| E | L | E | I | S |

## 82

| | | | | |
|---|---|---|---|---|
| R | A | D | A | R |
| A | S | A | N | A |
| D | A | K | A | R |
| A | N | A | L | E |
| R | A | R | E | S |

## 83

| | | | | |
|---|---|---|---|---|
| C | H | A | N | T |
| H | U | M | A | I |
| A | M | O | M | E |
| N | A | M | U | R |
| T | I | E | R | S |

## 84

| | | | | |
|---|---|---|---|---|
| A | P | P | E | L |
| P | O | R | T | O |
| P | R | I | E | S |
| E | T | E | T | E |
| L | O | S | E | R |

## 85

| | | | | |
|---|---|---|---|---|
| M | A | C | O | N |
| A | D | O | R | E |
| C | O | R | A | N |
| O | R | A | L | E |
| N | E | N | E | S |

## 86

| | | | | |
|---|---|---|---|---|
| C | O | M | M | E |
| O | S | E | E | S |
| M | E | N | U | S |
| M | E | U | S | E |
| E | S | S | E | S |

## 87

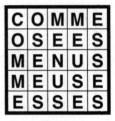

| | | | | |
|---|---|---|---|---|
| R | H | O | N | E |
| H | E | R | O | N |
| O | R | A | N | T |
| N | O | N | N | E |
| E | N | T | E | R |

## 88

| | | | | |
|---|---|---|---|---|
| B | A | S | S | E |
| A | J | O | U | R |
| S | O | L | E | S |
| S | U | E | D | E |
| E | R | S | E | S |

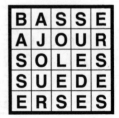

## 89

| | | | | |
|---|---|---|---|---|
| R | A | D | A | R |
| A | D | O | R | A |
| D | O | R | I | S |
| A | R | I | D | E |
| R | A | S | E | R |

## 90

| | | | | |
|---|---|---|---|---|
| T | E | N | O | R |
| E | M | A | N | A |
| N | A | N | C | Y |
| O | N | C | L | E |
| R | A | Y | E | R |

## 91

| | | | | |
|---|---|---|---|---|
| M | A | R | C | O |
| A | V | O | I | R |
| R | O | N | D | E |
| C | I | D | R | E |
| O | R | E | E | S |

## 92

| | | | | |
|---|---|---|---|---|
| D | A | V | I | D |
| A | V | A | L | A |
| V | A | R | O | N |
| I | L | O | T | S |
| D | A | N | S | E |

## 93

| | | | | |
|---|---|---|---|---|
| P | E | L | E | R |
| E | B | O | L | A |
| L | O | U | I | S |
| E | L | I | R | E |
| R | A | S | E | R |

## 94

| | | | | |
|---|---|---|---|---|
| A | L | L | E | R |
| L | A | U | R | E |
| L | U | I | R | E |
| E | R | R | E | R |
| R | E | E | R | A |

## 95

| | | | | |
|---|---|---|---|---|
| R | A | P | E | R |
| A | D | U | L | A |
| P | U | N | I | T |
| E | L | I | S | E |
| R | A | T | E | R |

## 96

| | | | | |
|---|---|---|---|---|
| H | A | R | E | M |
| A | D | E | L | E |
| R | E | V | U | S |
| E | L | U | E | S |
| M | E | S | S | E |

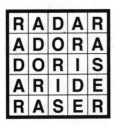

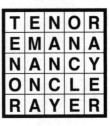

**97**

| | | | | |
|---|---|---|---|---|
| S | E | R | G | E |
| E | T | I | E | R |
| R | I | E | N | S |
| G | E | N | R | E |
| E | R | S | E | S |

**98**

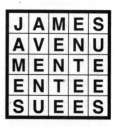

| | | | | |
|---|---|---|---|---|
| J | A | M | E | S |
| A | V | E | N | U |
| M | E | N | T | E |
| E | N | T | E | E |
| S | U | E | E | S |

**99**

| | | | | |
|---|---|---|---|---|
| A | D | R | E | T |
| D | I | A | N | E |
| R | A | N | C | I |
| E | N | C | A | N |
| T | E | I | N | T |

**100**

| | | | | |
|---|---|---|---|---|
| G | R | A | C | E |
| R | A | V | I | T |
| A | V | A | R | E |
| C | I | R | A | T |
| E | T | E | T | E |

La production de ce titre sur du papier Rolland Enviro 100 Édition plutôt que du papier vierge réduit votre empreinte écologique de :

Arbre(s) : 12
Déchets solides : 343 kg
Eau : 32 446 L
Émissions atmosphériques : 753 kg

Transcontinental

Imprimé sur Rolland Enviro 100, contenant 100% de fibres recyclées postconsommation certifié Éco-Logo, Procédé sans chlore, FSC Recyclé et fabriqué à partir d'énergie biogaz